Le Club de la Pluie

Malika Ferdjoukh

Le Club de la Pluie

Au pensionnat des mystères

L'énigme de la tour
suivi de
Le voleur de Saint-Malo

l'école des loisirs
11, rue de Sèvres, Paris 6ᵉ

Illustrations de Cati Baur

Ces histoires ont été publiées dans la revue
Moi je lis en janvier 2010

© *2019, l'école des loisirs, Paris, pour l'édition Neuf poche*
© *2014, l'école des loisirs, Paris, pour la première édition*
Loi n° 49.956 du 16 juillet 1949 sur les publications
destinées à la jeunesse : mars 2014
Dépôt légal : mars 2021
Imprimé en France par Gibert Clarey Imprimeurs
à Chambray-lès-Tours (37)

ISBN 978-2-211-30109-1

Pour Tata Simone

L'énigme de la tour

raconté par
Rose

LE PENSIONNAT DES PIERRES-NOIRES

On était le matin de la rentrée de Toussaint, il pleuvait, 9 heures avaient sonné, et on ne voyait pas Saint-Malo.

– On arrive quand? ai-je demandé à papa.

– Quand la petite aiguille sera sur bien et la grande sur tôt.

Il m'a jeté un regard en coin:

– Cette voiture n'aime pas rouler sous la pluie. Moi non plus.

J'ai soupiré. Papa a soupiré. La voiture a reniflé.

– Je suis Bélier, dis-je. Ton journal dit que les Bélier vont passer un sale quart d'heure aujourd'hui, à cause des Gémeaux. Tu es Gémeaux.

Toujours pas de Saint-Malo à l'horizon. Une ville cernée de remparts, ça se remarque pourtant.

– Tu sais ce qui se passe quand on est en retard?

— Euh… La journée paraît moins longue? a suggéré papa.

Enfin! À un détour de la baie, Saint-Malo nous est apparu, gros poisson noir, luisant, échoué sous la pluie.

Maintenant, on allait devoir chercher les Pierres-Noires, l'internat où j'allais passer le reste de mon année scolaire. J'ai commencé à tapoter nerveusement mon sac du bout des ongles.

Papa a pris un ton rassurant:

— La directrice, Mlle Renard, était extrêmement aimable lorsqu'on t'a inscrite. Il n'y a pas de raison qu'elle se soit changée en dragon depuis. Elle comprendra que c'est à cause de cette saleté de nationale 137 qui…

Il s'interrompit: on franchissait enfin la Grande Porte de la ville.

— La cité corsaire! Surcouf! Jacques Cartier! Duguay-Trouin! a déclamé papa à tue-tête.

— Et maintenant moi! Rose Dupin! dis-je sur le même ton. Ta fille! Dix ans et demi! Presque onze!

— J'ai parlé de corsaires. Toi, tu es plutôt pirate.

On a rôdé encore quelque temps par un labyrinthe de rues au granit plus gris que les nuages et… on a fini par trouver! Un hasard total.

À vrai dire, impossible de louper cette imposante bâtisse granuleuse, ses deux tours obscures, ses fenêtres à peine plus larges que des cartes postales, son fronton gravé «Pierres-Noires» derrière les hautes grilles en fer.

– On y est! a déclaré papa comme si j'étais aveugle, ou analphabète, ou demeurée.

Sous cette pluie, et avec les mouettes qui criaient comme des bébés, cela faisait penser à ces vieux mélos en noir et blanc où l'encre des lettres d'adieu pleure des larmes grises jusqu'à la signature.

– Manque plus qu'Igor, dis-je, lugubre.

– Igor?

– Le serviteur bossu dans *Frankenstein*.

– Tu vas être contente, le voici! a murmuré papa.

Aux grilles, un jeune homme en K-way mandarine nous a accueillis. Beau, bronzé par l'air du large, il avait une tête à la Ethan Hawke.

– Didier Draner, dit-il avec un sourire aimable, professeur d'EPS et de voile. Moi aussi je suis nouveau, je suis arrivé avant-hier.

Justement, c'était avec ces fameux cours de voile que mes parents m'avaient piégée. Car le pensionnat était leur idée. Papa est interprète, il voyage beaucoup. Maman, comédienne de théâtre, et sa

13

prochaine tournée allait durer un an ou deux. J'avais dû dire adieu à mon école de Bourganeuf.

Le très souriant M. Draner nous a conduits sous le perron abrité. Il a ôté et secoué son K-way dans un mouvement très hip-hop. Le dos de son sweat-shirt portait l'inscription «Draner Champion Team».

– La directrice ne pourra pas vous recevoir, elle a dû partir en catastrophe la semaine passée, dit-il. Mais je vais vous présenter à M. Belloc, son adjoint.

Tandis que papa le suivait à l'intérieur, un brusque chahut de mouettes, au sommet d'une tour sombre, m'a fait lever la tête. Elles piaillaient et se chamaillaient devant la plus haute fenêtre. Quelqu'un leur jetait des bouts de pain. Les miettes volaient. Soudain, un morceau plus gros est tombé.

Sans ce petit bruit métallique, je n'y aurais pas fait attention. Mais… cling, clang, ce n'est pas le son qu'on attend d'un croûton de pain qui tombe par terre, n'est-ce pas ?

Malgré la pluie, je me suis approchée pour le ramasser. Une tige en inox en sortait.

C'était une petite cuillère, enfoncée dans la mie, qui maintenait les deux moitiés de pain ensemble, pour simuler un seul morceau… Quand je les ai séparées, j'ai vu un papier caché à l'intérieur.

Drôle d'endroit pour glisser son courrier.

– Tu te dépêches, Rose ? a piaffé papa en réapparaissant sur le seuil. Tu vas être trempée !

J'ai tout fourré dans ma poche, et j'ai couru les rejoindre dans le hall.

NADGET ET AMBROISE

M. Belloc, le prof d'informatique, était l'adjoint de
la directrice. La mine aussi austère que le granit
des murs qui nous entouraient, il a expliqué que
Mlle Renard, la directrice, avait été appelée d'urgence à Nice, auprès de sa mère malade. Elle avait
dû quitter l'internat huit jours auparavant, en pleine
nuit. Il a ajouté qu'il était ravi de nous accueillir.
On se demandait quelle tête il aurait fait s'il avait
été désolé.

Papa a tenté de le dérider en expliquant que
c'était cette saleté de nationale 137 qui... mais
M. Belloc a coupé court :

– Cette jeune demoiselle va immédiatement se
rendre en classe. Les cours ont commencé depuis
treize minutes.

J'étais la jeune demoiselle. Papa m'a serrée dans

ses bras. Là, j'ai vraiment compris qu'on allait passer un sacré bout de temps sans se revoir; et mon cœur s'est ratatiné. Je l'ai embrassé très fort. La main de M. Draner s'est gentiment posée sur mon épaule, puis il m'a conduite en salle d'anglais.

Le prof, Mister Barry, m'a fait asseoir près d'une fille brune, toute pomponnée. Elle m'a assez vite agacée. Toutes les cinq minutes, elle ouvrait sa trousse pour se contempler dans le petit miroir (doré!) qu'elle y avait dissimulé.

On avait des phrases à traduire. Elle s'est penchée vers moi. Je me suis obligeamment écartée pour qu'elle copie. Je croyais qu'elle avait besoin d'aide. Mais non, ce fut pour me chuchoter:

– J'ai fini de traduire. Tu l'as eu où, ton pull?

– Euh. C'est… ma mère qui l'a fait, dis-je, interloquée.

Dans l'urgence du départ, ce matin, j'avais attrapé le premier de la pile dans l'armoire. Je sais: ce pull orange est une calamité. Maman l'a tricoté quand son pouce était plâtré. Mais je crois que même avec trois pouces au complet maman ne l'aurait pas mieux réussi.

– Pourquoi? ai-je demandé.

– Tu as l'air d'avoir, euh, été avalée, euh, par

un pull orange. Mais sur moi, et customisé, il sera sublime. Tu me le prêteras?

Elle m'a souri. Le genre de sourire à qui on prête obligatoirement son pull orange. Si on en a un.

– Nadget Mellaoui, se présenta-t-elle.

– Rose Dupin.

Et, malgré son petit miroir (doré!), elle m'a été sympathique.

*
* *

– Ce qu'il y a de bien, avec le kouign-amann surgelé, c'est qu'on peut jouer au Frisbee avec! a déclaré un garçon dans la file devant le distributeur de goûters. Pareil avec les pizzas.

J'ai ri. Ça faisait du bien dans cette météo morose.

– Tu es la nouvelle? m'a demandé le garçon.

– Fraîche du jour, ai-je répondu. Arrivée ce matin.

Nadget s'est faufilée jusqu'à nous.

– Hello, Ambroise! Et ton chien tout petit tout mignon, qu'est-ce qu'il devient? lança-t-elle.

– Toujours petit et mignon, dit-il. Je le gave pour qu'il devienne gras et moche.

Il avait des cheveux d'une drôle de couleur. Genre côtelette grillée bien grillée.

— Ambroise, m'informa Nadget, est le seul élève autorisé à avoir un animal.

— Pourquoi ce privilège? dis-je. Tu as 20 sur 20 en tout? Ou tu connais des secrets pour faire chanter les profs?

— Ses parents sont les gardiens des Pierres-Noires! s'esclaffa Nadget. Ambroise habite ici.

— Qui veut ma part de Frisbee? s'est enquis Ambroise, l'air de vouloir changer de sujet. Eh! Tu fais des provisions? dit-il en désignant le pain qui dépassait de ma veste.

Celui que j'avais ramassé au pied de la vieille tour, ce matin! Je l'ai sorti de ma poche. Les deux morceaux se sont séparés. La petite cuillère a brillé.

— Oups! a fait Nadget, un truc vient de tomber!

Elle a ramassé le papier. Je l'ai déroulé. On s'est penchés tous les trois pour lire.

Quelqu'un y avait écrit:

AU SECOURS!

Rose, Nadget et Ambroise rassemblent les indices

EXPÉDITION NOCTURNE

Les dortoirs des garçons se situaient dans l'aile ouest, côté ville. Ceux des filles, côté remparts, au dernier étage, avec vue sur la mer.

Je partageais le mien avec Nadget et deux autres filles, Angèle à la tête ronde et Eudoxie qui a plongé illico la sienne dans ses devoirs du lendemain.

Nadget m'a fait signe de parler bas. On s'est assises sur son lit. Sur sa table de chevet, il y avait des coquillages vernis, des barrettes de toutes les couleurs, un petit cadre vert avec des photos de Justin Timberlake, de chats, de top models et d'Albert Einstein.

– Quelqu'un a caché ce papier dans le pain, puis a jeté le pain par la fenêtre de la tour, ai-je chuchoté. En faisant semblant de nourrir les mouettes pour ne pas être repéré. Je n'ai pas vu qui.

– Une chose est sûre : ce quelqu'un a besoin d'aide. Il faut aller voir.

– Mais… ce quelqu'un pourrait crier, appeler. S'il ne le fait pas, c'est sûrement qu'il y a du danger.

– On fera attention.

On a attendu qu'Angèle sorte prendre sa douche et qu'Eudoxie aille travailler dans la salle d'informatique. Nadget m'a dévisagée, l'œil étincelant :

– Ce soir. Minuit. On monte dans la grande tour.

*
* *

Nadget était élève aux Pierres-Noires depuis le CE1. Couloirs, corridors, escaliers, recoins… elle connaissait tout par cœur.

À minuit, sa main vint grattouiller le cadre de mon lit. Eudoxie s'était endormie sur son bouquin de maths, et Angèle avait la même respiration que mon petit cousin Julius : celle des gens qui ont une narine bouchée.

On a enfilé nos pantoufles, un sweat par-dessus nos pyjamas, et on est passées sans bruit devant la porte de Mlle Mordent, la prof responsable de l'étage.

— Ça sent quoi? ai-je dit à voix basse.

— Oh… C'est mon parfum. *Little Darling* de Praducci. On se baignerait dedans, non?

En tout cas parfait pour se faire repérer, même dans le noir. Mais je me suis tue. Au bas d'un escalier, Nadget a allumé sa minuscule lampe porte-clefs (dorée!)

— Par là, a-t-elle murmuré.

Elle m'a pilotée de recoins sombres en recoins plus sombres. On montait, on descendait. La pluie frappait les fenêtres par paquets. On parcourait de longs couloirs noirs, pleins de courants d'air, qui vous glaçaient les mollets.

— C'est grand, hein? dit Nadget. Sans compter les passages secrets.

— Passages? Secrets?

— À Saint-Malo, toutes les grandes maisons en ont. Autrefois, les marins y cachaient une partie de la marchandise des bateaux. Pour ne pas payer trop d'impôts au roi et…

— Chut.

On a bondi derrière un pilier. La minuterie s'était allumée. Quelqu'un venait.

On a reconnu le sweat-shirt à l'inscription «Draner Champion Team». Le prof de gym sortait de la buanderie avec du linge propre.

Ouf, il est passé sans nous voir, avant de disparaître par l'escalier.

On a attendu, sans bouger, que la minuterie s'éteigne.

Soudain, j'ai senti un souffle humide sur mes genoux. J'ai fait un bond et j'ai marché sur un pied. J'ai failli hurler.

Il y avait quelqu'un, là, avec nous, derrière le pilier!

– Pas de panique, a chuchoté une voix anxieuse. C'est moi. Ambroise.

On a soupiré. Quel idiot. Quelles idiotes.

Sa tignasse côtelette grillée a surgi dans le rond lumineux de la lampe porte-clefs (dorée). Il tenait, par le collier, Clipper qui reniflait toujours mes genoux.

– Qu'est-ce que tu fabriques là?

– Et vous?

Il a sorti de sa pantoufle le pied que j'avais écrasé et s'est massé le petit orteil. J'ai grogné tout bas:

– On a décidé que cette nuit noire, sinistre et glaciale était géniale pour se balader dans des couloirs noirs, sinistres et glacials.

– Vous essayez de retrouver qui a écrit «au secours»?

– Gros malin.

Il a rangé son pied dans la pantoufle. Il a demandé :

— Et après ? On fera quoi quand on saura ?

— On s'occupera de la couche d'ozone, ai-je marmonné. S'il nous reste du temps, on résoudra le mystère de la Grande Pyramide.

À cet instant, Nadget a émis un minuscule «oups!» en s'agrippant à mon bras. Mais trop tard. On a entendu le tlêêk de l'interrupteur et la lumière vive de la minuterie a inondé à nouveau le palier.

Raide, sombre, sévère, M. Belloc se tenait devant nous.

— Que faites-vous ici ? À cette heure ? Et avec un animal encore ?

On était pétrifiés, clignant des yeux comme des chauves-souris hors de leur caverne.

— Eh bien ? J'attends.

On est restés muets.

— Parfait. Trois heures de colle. Allez, ouste ! Au lit, et vite.

Sur une piteuse volte-face, on a filé dans nos dortoirs.

LE PENDENTIF MYSTÉRIEUX

Les nuits suivantes furent moins mouvementées. M. Belloc nous avait à l'œil et on n'a pas osé renouveler notre expédition nocturne. Et puis, entre les cours le matin, les activités de l'après-midi et les heures d'étude obligatoires, les journées aux Pierres-Noires étaient plutôt bien remplies.

Chaque soir, avec Nadget, on échafaudait des plans hasardeux pour percer le mystère de la tour jusqu'à ce qu'Eudoxie ou Angèle nous ordonnent de les laisser dormir.

Les jours passaient, toujours sous la pluie, sans que nous soyons tombés d'accord tous les trois sur la stratégie à suivre, jusqu'à ce mardi...

À la récré, Ambroise s'est dirigé droit vers nous, sous le préau. Ses yeux brillaient. Il a vérifié autour de lui pour s'assurer qu'on ne nous espionnait pas. Il a tendu le poing, a ouvert sa paume.

Dedans, il y avait un pendentif en forme de perroquet.

– J'ai trouvé ça ce matin. Au pied de la tour. Là où Rose a ramassé le pain avec le mot.

On a écarquillé les yeux, le cœur battant. J'ai soufflé :

– Ça, ça ressemble à un deuxième «au secours».

– J'ai déjà vu ce perroquet, a marmonné Nadget. Mais sur qui… ?

– Essaie de t'en souvenir. Si on sait qui l'a porté…

– … on saura qui appelle à l'aide.

Nadget a réfléchi, froncé les sourcils, mordillé ses boucles… Impossible de se rappeler.

*
* *

Au début du cours d'informatique, M. Belloc a demandé le silence.

– Mlle Renard restera absente, dit-il. Elle doit prolonger son séjour dans le Sud. Sa pauvre mère ne va pas mieux, hélas.

Il a cliqué sur son écran.

– Mais elle nous envoie, à tous, un message filmé qu'elle a enregistré ce matin.

Il a cliqué une nouvelle fois. La date du jour et

la durée se sont inscrites sur une ligne, au bas de nos écrans. Le film a défilé. D'abord, nous avons aperçu la mer au bleu lumineux, des palmiers en file sur une avenue.

– La Promenade des Anglais! a reconnu Nadget. Comme dans *La Fille du Negresco*, le film avec Agostina Puffi.

À l'image, un jardin aux fleurs éclatantes. Un rayon de soleil a traversé l'objectif et nous a éblouis. Le plan suivant glissait dans la pénombre d'une maison, puis d'un salon, et révélait le visage d'une dame. Je ne l'avais encore jamais rencontrée, mais j'ai deviné qu'il s'agissait de Mlle Renard. Elle se tenait, la mine fatiguée, le sourire un peu tiré, non loin d'une fenêtre blême.

– Bonjour à tous, mes chers élèves des Pierres-Noires. Et bienvenue à ceux qui arrivent pour la première fois. J'aurais tant souhaité être parmi vous tous. Je suis sûre cependant que cette rentrée a été…

Elle avait une voix agréable. Le gris de sa coiffure était adouci par des yeux dorés et vifs. Elle nous a encouragés, a remercié les professeurs, M. Belloc en particulier, puis nous a dit au revoir. Son message avait duré trois minutes dix-sept secondes.

À la sortie du cours, Ambroise s'est rapproché de Nadget et moi. Il avait les joues en ébullition.

– Vous avez vu ?!

– Quoi ?

Il a ouvert la bouche pour parler mais il s'est étranglé.

– Tiens, suce une pastille au coquelicot, a proposé Nadget. Ça relaxe et ça donne une haleine de printemps.

– Le… le… À son cou !

Il a avalé net la pastille.

– Elle portait le pendentif au perroquet !

Alors là, on a commencé à bouillir aussi. On a traversé la cour au galop sous les trombes pour aller s'abriter sous le préau. Ambroise avait repris ses esprits. Il nous a observées sombrement.

– La personne qui a écrit «au secours» serait donc notre directrice.

– Impossible, dis-je. Tu as vu le film. Elle ne peut pas être à Nice et en même temps là-haut, dans la tour.

– Le message a été enregistré aujourd'hui, a rappelé Nadget.

– Justement, s'est énervé Ambroise, vous ne trouvez pas ça curieux ? Ce message filmé… comme s'il fallait donner la preuve absolue de l'absence de la directrice.

On a ruminé en silence.

– Sans oublier, a-t-il repris, que c'est M. Belloc qui a stoppé nos recherches dans la tour, l'autre nuit.

Pas faux. Pourquoi le directeur adjoint se baladait-il à minuit dans les couloirs déserts des Pierres-Noires ?

Les détectives s'interrogent

Ce pendentif en forme de perroquet appartient à la directrice des Pierres-Noires

Cette fois, le prisonnier de la tour a lancé un pendentif par la fenêtre

Or, Mlle Renard se trouve à NICE. Un film le prouve.

QUI est le mystérieux prisonnier, là-haut ?

MYSTÈRE ET MÉTÉO

Le lendemain, la leçon de voile fut encore annulée pour cause de météo. À la place, on a eu basket en salle de sport. Entre deux matchs, on reprenait la discussion.

– Petit rappel, dit Ambroise. C'est M. Belloc qui a annoncé à tout le monde le départ de la directrice en pleine nuit. Personne, à part lui, ne l'a vue quitter le pensionnat. Il peut raconter ce qu'il veut.

– Mais, a soupiré Nadget, pourquoi ferait-il ça ?

– Ça me fait penser à Julius, dis-je.

– César ?

– Julius mon petit cousin. Le jour où il a fait semblant d'être malade pour zapper un contrôle de maths, tout le monde a bien cru qu'il avait 40° de fièvre… jusqu'à ce qu'on découvre la bouillotte d'eau chaude sous sa couette.

– Le rapport ? a demandé Nadget.

– Un truc bizarre. Pas net. La sensation de me faire rouler.

– Ouais. Ben, j'ai beau cogiter, dit-elle, je ne vois pas la bouillotte d'eau chaude !

– Allons, allons ! a crié le prof de gym en surgissant près de nous dans un galop sportif. Vous n'avez pas entendu la sonnerie ?

*
* *

Il pleuvait toujours. La récré du goûter s'est déroulée une fois de plus sous le préau.

– Si seulement il faisait beau, a soupiré Nadget. S'il y avait un rayon de soleil, j'aurais lancé des signaux avec mon miroir en direction de la tour… Le quelqu'un, là-haut, aurait compris que ses appels ont été entendus.

Je l'ai regardée fixement. Puis j'ai crié :

– Voilà ! C'est ça ! La bouillotte d'eau chaude !

Ambroise et Nadget ont échangé une grimace, l'air de me prendre pour une pauvre simplette.

– De quoi tu parles ? a demandé très posément Nadget.

— Il fait beau! dis-je en montrant le déluge qui s'abattait sur le toit du préau.

Ils m'ont dévisagée comme si j'avais avalé une armoire à trois portes avec tous ses gonds.

— Venez!

Ils m'ont suivie en courant jusqu'à la salle d'informatique. J'ai allumé un ordi. J'ai cliqué, cliqué.

Enfin, j'ai retrouvé les images de Mlle Renard. On a revu la Méditerranée, les palmiers, la Promenade sous le soleil, le jardin... Enfin le visage de la directrice en gros plan.

— Alors? ai-je trépigné. Vous voyez?!

— Rien du tout.

— La séquence débute sur la mer et le jardin au soleil. Il y a même un éclair de soleil dans l'objectif. Ensuite...

J'ai cliqué sur «pause».

— Mlle Renard se tient près de la fenêtre pour parler. Observez.

— Il fait sombre.

— Exactement! dis-je, au bord de l'explosion. Il fait gris. *Nicht* soleil. Plein de gouttes sur les vitres.

— C'est vrai!

— Ça veut dire...

– Qu'on essaie de nous faire croire qu'elle se trouve à Nice. En réalité, elle a été filmée ici… où il pleut depuis des jours!

Les détectives récapitulent

LE CLUB DE LA PLUIE

Un courant d'air a subitement soulevé les pages d'un cahier. La porte de la salle venait de s'ouvrir.

Nadget a lancé son «oups!» de petite souris.

Mais non, ouf, ce n'était pas M. Belloc. Avec un soupir de soulagement, on a vu entrer M. Draner.

– Vous nous avez fichu la trouille! s'est écrié Ambroise.

– La trouille? Pourquoi donc?

On s'est interrogés d'un regard. On a hoché la tête… Puis on lui a tout raconté. Le prof de gym a bien écouté, en silence. À la fin, il a froncé les sourcils.

– Si ce que vous dites est exact, il faut sortir immédiatement cette malheureuse de là, dit-il d'un air décidé.

Ça nous a rassurés qu'il nous croie, de ne plus être seuls au monde contre un péril inconnu.

– Restez ici, dit-il, un doigt sur les lèvres. S'il y avait le moindre danger…

Il est sorti et a disparu au bout du couloir.

– Qu'est-ce qu'on fait ? dis-je à voix basse.

On n'a même pas discuté. On était tous les trois bien trop excités pour obéir. On l'a suivi !

En nous cachant d'un recoin à un autre et de pilier en pilier, on a pris la direction de la vieille tour. Le prof de gym suivait escaliers et corridors obscurs. Pas un instant il n'a hésité sur le chemin.

Brusquement, en haut des marches du dernier escalier, devant M. Draner, une silhouette se dressa.

M. Belloc !

– Attention ! a crié Ambroise.

M. Belloc est resté bien droit sur ses jambes, main levée comme s'il stoppait une armée.

– Arrêtez ! tonna-t-il d'une voix impression- nante.

M. Draner a aussitôt bondi sur lui.

M. Belloc est plus petit, moins jeune, mais il ne se défendait pas mal. Ambroise s'est jeté dans la mêlée. Nous aussi. L'élastique de ma queue- de-cheval a sauté, le miroir de Nadget est tombé, Ambroise a crié « Aïe ! ».

J'ai vu M. Belloc rouler par terre, terrassé par un

coup de poing, puis Nadget au milieu de la bagarre qui vérifiait que son précieux miroir n'était pas brisé, enfin Ambroise qui ramassait une clef par terre et courait ouvrir l'unique porte du palier.

Une dame aux cheveux gris, tremblante, est alors sortie dans le couloir : Mlle Renard !

M. Belloc s'est redressé. Ses yeux pleins de colère ont foudroyé le prof de gym. J'ai hurlé :

– Attention à vous, monsieur Draner !

Trop tard. Dans un élan, M. Belloc s'est jeté sur lui. De ses deux mains, il lui a donné une violente poussée... M. Draner a basculé et roulé dans la pièce vide.

Alors il s'est passé une chose stupéfiante. Nadget s'est précipitée sur la porte et l'a refermée à clef, et à double tour.

On a entendu le prof de gym pousser un long cri de rage de l'autre côté.

Haletant, M. Belloc s'est tourné vers Nadget.

– Bravo, mademoiselle Mellaoui, dit-il. Maintenant, ce monsieur va devoir s'expliquer !

*
* *

Mais d'abord, c'est à nous qu'on a dû expliquer quelques petites choses.

Didier Draner était le neveu de la directrice. Étouffé par les dettes, aux abois, il avait découvert que l'internat cherchait un prof d'EPS et cela lui avait donné une idée machiavélique.

Il avait mis en scène le faux départ en urgence de sa tante, l'avait kidnappée, et s'était fait ensuite engager. Tout ce temps, il l'avait retenue prisonnière dans la tour, espérant l'avoir à l'usure afin qu'elle cède à son chantage odieux et lui abandonne tout son argent.

— C'est à elle qu'il apportait le linge, la nuit où on l'a vu sortir de la buanderie... me suis-je rappelé.

Nous étions assis sur les marches de la maison des gardiens, les parents d'Ambroise.

— Quel sale type! Lui qui paraissait si gentil.

— ... qui ressemblait tellement à Ethan Hawke! a gémi Nadget.

— Ethan Hawke joue parfois les sales types, a noté Ambroise en caressant Clipper. Sous la menace, il a forcé Mlle Renard à enregistrer ce message...

— Ethan Hawke? fis-je.

— Idiote. Il a bricolé un montage des images de Nice et de celles de sa tante, puis il a envoyé le message de sa part, par crainte que cette absence prolongée ne finisse par être suspecte. Mais M. Belloc n'a pas été dupe. Il a reconnu une fenêtre de la tour, et il a commencé à s'interroger.

Je me suis tournée vers Nadget. Elle avait tout compris avant nous. Même si ça m'énervait un petit peu, elle m'avait épatée.

– Et toi? lui dis-je. Comment as-tu compris que l'ennemi, c'était le prof de gym et non M. Belloc?

Nadget a plongé la main dans son sac, brandi son miroir (doré, plus que jamais). Elle s'y est recoiffée. Elle a soupiré, nonchalante:

– Oh, ça… Eh bien, lors de la bagarre, quand j'ai récupéré mon miroir par terre, les mots «Draner Champion Team» se sont reflétés à l'envers. Draner… Inversé, ça se lit «Renard». Vu? Il y avait un lien.

– On est balèzes, quand même, non? s'est exclamé Ambroise.

Clipper a aboyé en signe d'approbation.

– Balèzes? ai-je ricané. Tu parles. On est allés tout raconter à Draner, la bouche en cœur!

– Si on ne l'avait pas fait, il ne se serait pas affolé, ni dénoncé lui-même en se précipitant dans la tour pour changer sa tante de lieu de captivité.

– C'est vrai, ai-je reconnu, assez fière de nous tout à coup.

— Quel résultat! Quelle apothéose! a conclu Nadget. M. Belloc n'ose plus me mettre moins de 8 sur 20.

Tortillant les oreilles soyeuses de Clipper, je méditais. Je me suis redressée, frappée d'une illumination.

— On devrait fonder un club! ai-je lancé. On résoudrait un tas d'énigmes, un tas de mystères, on dénicherait un tas de secrets.

Tout le monde m'a dévisagée, les yeux brillants. Clipper a souri, langue pendante. J'ai continué:

— On s'appellerait...

— On s'appellerait...

— On s'appellerait...?

— Le Club de la Pluie?

Le voleur de Saint-Malo

raconté par
Nadget

LE CLUB EN QUÊTE D'ÉNIGME

On a beau s'appeler le Club de la Pluie, on accueille avec bonheur le retour du ciel bleu. Seulement, avec un joli petit mystère à se mettre sous la dent, le soleil brillerait mieux.

– Oh là là! ai-je soupiré en rejoignant Rose à la sortie du dortoir. Le Club va drôlement se rouiller les méninges…

– Oh là là! m'a imitée Rose. Tu nous fais quoi, là, Nadget Mellaoui?

– Je rouspète, je râle, Rose Dupin! dis-je. Tu connais ça: c'est toi qui m'as appris!

– Je vais vraiment rouspéter et râler si dans deux secondes on n'est pas arrivées en bas.

Rose Dupin et moi, on est super amies car on ne se ressemble pas du tout. Elle se douche et s'habille en deux minutes et quart. Moi, en une heure et demie.

– 9 h 18! a-t-elle piaffé, prête à s'envoler. Les autres vont partir sans nous!

Une fête foraine s'est installée le long des quais, face à la mer. Les sixièmes et les cinquièmes des Pierres-Noires, notre pensionnat, ont obtenu d'y passer cette matinée de mercredi.

Angèle, notre coloc de dortoir, est sortie en criant :

– Dépêchez-vous ! Ou Mordent et Moriarty vont piquer une crise !

On est descendues dare-dare. Notre vieux et vénérable bâtiment de granit est un gruyère de couloirs mais, depuis le temps, je connais les raccourcis.

On a rejoint le rang conduit par Mlle Mordent, la prof de français, et M. Moriarty, notre surveillant. Tout en marchant, j'ai sorti mon peigne parce que le vent de la course m'avait ébouriffée et que je déteste avoir les cheveux en salade frisée.

Comme je penchais la tête, mon regard s'est arrêté sur une voiture qui attendait derrière les hautes grilles, de l'autre côté de la cour. J'ai ralenti et, aux autres qui allaient devant, j'ai crié :

– Hé ! Voilà le facteur ! J'ai peut-être enfin reçu *La Mélodie du bonheur* ? Je vous rejoins !

Des semaines que je réclamais ce DVD à mon frère Saladin ! J'ai subrepticement abandonné le rang et j'ai bifurqué à toute allure vers la maison des gardiens. J'ai failli me cogner dans Ambroise. Lui aussi, il cavalait.

Ambroise est le troisième membre du Club. Il était essoufflé.

— Tout le monde est en route ! dis-je en lui montrant la file des élèves qui s'éloignaient.

— Je sais ! Mais Zoé refusait de manger sa bouillie. Elle m'a fait tourner en bourrique, la bourrique !

Ambroise est le fils de M. et Mme Lupin, les gardiens des Pierres-Noires. La classe finie, le soir, il peut rentrer chez lui comme un élève d'une école classique.

Son chien Clipper jappait et gambadait autour du chariot de M. Bogart, le facteur.

— Bonjour, facteur ! Y a-t-il du courrier pour moi, Nadget Mellaoui ? J'attends le DVD de *La Mélodie du bonheur* et…

Il a haussé les sourcils en riant.

— Ah, ces jeunes qui veulent tout tout de suite… Vous partez à la fête foraine ? a-t-il continué. Quelle chance ! À votre âge, j'adorais le Train des Hurlements, la Roue du Grand Frisson, le…

J'ai glissé un œil pressé dans le chariot postal. Lettres, cartes, catalogues… Ah ! Un paquet marron, rectangulaire, de la taille de deux DVD, avec un timbre jaune. Mon idiot de frère avait-il eu la bonne idée de me rajouter *La Belle de Moscou* ? Je me suis penchée pour le saisir, mais M. Bogart m'a devancée. Il a attrapé un petit paquet blanc, fripé, cabossé, caché derrière un journal. Il a lu l'adresse à haute voix :

— Destinataire : Mademoiselle Nadget Mellaoui-Lintello. C'est ton vrai nom, ça, «Lintello» ?

Pfff ! Du Saladin tout craché, ça.

— Non, ai-je répliqué. Mais mon frère, ça lui irait comme un gant de signer «Grolourd» !

M. Bogart a repoussé sa casquette en rigolant.

— Un peu… hum… chiffonnée, ton enveloppe, hein. Mais elle m'a l'air de contenir les montagnes autrichiennes et la famille Trapp au complet !

Dommage. L'autre paquet, le marron, avait un plus joli timbre. J'ai contemplé la banale vignette autocollante que mon frère avait dû acheter à l'automate de la poste. Ah, Saladin était loin de posséder le sens artistique de sa sœur !

Soudain, la manchette du journal a happé mon regard. C'était le quotidien régional auquel M. Belloc, notre directeur adjoint, est abonné. Je me suis tordu le cou pour lire. Mon cœur s'est mis à battre, ma tête à bourdonner.

Boussole historique… valeur inestimable… volée… à Saint-Malo…

— Que d'histoires pour une vieille boussole cassée,

a plaisanté le facteur en suivant mon regard. Votre directrice est dans son bureau ? J'ai un recommandé pour elle, je monte le lui apporter.

— Oui, oui, merci, ai-je murmuré sans plus écouter.

J'ai glissé un regard à Ambroise. Lui aussi avait lu le titre du journal.

Au galop on est partis rattraper le rang au portail. Il fallait vite mettre Rose au courant. Un cambriolage dans notre bonne ville ! Enfin de quoi dérouiller les méninges du Club de la Pluie !

Le Club de la Pluie est en alerte !

Le journal de Saint-Malo annonce un **cambriolage !**

!!!

On a volé une boussole historique d'une valeur inestimable...

ROULETABILLE ÉCOSSAIS

Mais pas question d'évoquer l'affaire devant les autres élèves. On a attendu, Ambroise et moi.

Avant de lâcher les élèves dans la fête foraine, Charles Moriarty nous a fait cent recommandations. Il est arrivé aux Pierres-Noires depuis un mois à peine mais c'est déjà notre pion préféré. Il éteint le dortoir dix minutes plus tard que l'heure réglementaire. En tout cas, jamais avant qu'on ait achevé notre chapitre si on est plongé dans un livre.

– Je ne veux voir personne dans ces machins qui tournent à toute allure, ni d'élèves isolés. Restez en groupes. La Grande Roue, le Grand Huit, le Train Fantôme sont interdits.

Angèle et Martin ont protesté, mais il a tenu ferme. Puis on s'est scindés en petits groupes et on a flâné entre les baraques, parmi les flots de musique et les barbes à papa.

Rose a gagné un renne mauve à la pêche au

trésor, on s'est perdus dans le Palais des Mirages, on a assisté au déjeuner des otaries dans leur bassin. Ambroise, Eudoxie et Rose voulaient essayer le Bateau des Pirates, une attraction qui balançait, zou, et balançait, re-zou… Très peu pour moi ! Je vomis déjà dans les Optimist du cours de voile. En plus, ça décoiffe. Un truc à vous faire les cheveux de la Sorcière de l'Ouest. Je devenais verte rien qu'à l'idée.

— Je vous attends ici, dis-je. Je garde Clipper.

— Ouah ! a fait Clipper, très gentleman qui consent à faire semblant d'être gardé.

Les copains sont tous montés. La barre de sécurité a cliqué et les a plaqués au fond des sièges. Le bateau a commencé à se balancer, et à se balancer… Beuh.

J'ai tourné le dos et commencé à flâner le long des baraques avec Clipper. Soudain, j'ai reçu un grand coup brutal dans le dos. Juste eu le temps de me raccrocher au Mât de Cocagne !

— Oups !

C'est mon cri de guerre. Un éclair écossais m'a filé sous le nez, et a disparu. Clipper a aboyé et s'est mis à courir derrière l'éclair.

J'ai tâté ma hanche et j'ai poussé un cri. Mon sac Kenzu ! Disparu ! Avec, dedans, mon mini-miroir (doré !), mon baladeur de Without Shouting Station, mon groupe fétiche, et ma bourse en forme de tube dentifrice ! Tout ça était en train de cavaler, loin, loin, entre les mains d'un… (je me suis frotté les yeux) d'un… singe !

Oui, un singe en kilt écossais venait de chaparder mes affaires et escaladait la baraque du Train des Hurlements ! Du coup, c'est moi qui ai hurlé :

– Au voleur !

Un garçon a déboulé hors de la foule. En quelques bonds, il a escaladé prestement la baraque à la suite du petit chapardeur, l'a attrapé par la jupe et l'a tenu fermement contre lui.

Il est redescendu aussi habilement qu'il était monté et s'est présenté devant moi. Ses cheveux blonds poussaient raides en l'air comme de l'herbe, ses yeux étaient très bleus.

– Tes excuses, Rouletabille ! dit-il sévèrement au petit singe.

Rouletabille, l'air contrit, a posé sa menotte gantée de blanc sur la bouche, avant de me restituer mon sac. J'ai ri de bon cœur avec tous les badauds attroupés.

– J'accepte, Rouletabille, dis-je en serrant ses doigts menus.

Le garçon nous a salués, puis est reparti, son compagnon sur l'épaule.

Dix minutes plus tard, les pirates ont débarqué, vacillants, l'œil vitreux, de leur bateau-balançoire.

– Déjà? ai-je ironisé. Vous ne vous sentez pas trop mal?

– Euh, a fait Rose entre deux hoquets, quand on se sentira... mal... tu le sauras.

– Ah? Comment? Vous aurez l'air intelligents?

Elle a couru s'acheter un soda à la menthe. Après deux gorgées, ses joues ont commencé à retrouver leur couleur.

– J'ai pris au moins trois rides en vous attendant, dis-je.

Une dame avec un turban orné de papillons d'argent a surgi d'une caravane étoilée. Elle avait beaucoup plus que trois rides, était maquillée à la Cléopâtre et fringuée comme dans la série *Las Vegas Millionnaire*. Elle s'est emparée des doigts de Rose.

– Mme Astarté dit l'avenir, dit-elle. Quel est ton signe astrologique, petite?

– Capricorne ascendant bulldozer! s'est esclaffé Ambroise.

Mme Astarté a remonté sur les épaules son long châle assorti à son turban, et a scruté la paume de notre amie.

– Tu es une bonne élève, dit-elle. Intrépide, un

peu casse-cou même. Je distingue quelques problèmes… que tu résoudras sans mal car tu es perspicace et… Oh, attention… Je vois également des dangers. Prends garde à toi, petite.

Rose a sorti son porte-monnaie pour lui payer toutes ces prédictions, mais, d'un geste gracieux de sa main grassouillette toute hérissée de bagues, Mme Astarté a décliné, balayé l'espace, et s'est éclipsée dans sa caravane aux étoiles.

On s'est éloignés en riant. On s'est retrouvés au bout du quai, devant un kiosque. Cela m'a rappelé… Dans un élan, j'ai acheté le journal. Puis j'ai déplié le gros titre sous le nez de Rose. *Boussole historique… valeur inestimable… volée… à Saint-Malo…*

Elle a immédiatement ouvert de grands yeux fascinés. Ambroise, qui s'était mis à dévorer l'article, a émis un sifflement.

– Hé! Le vol a eu lieu chez M. Hamette! Sa maison est à cent mètres des Pierres-Noires, le long du rempart. Mes parents le connaissent bien.

– Allons lui poser des questions! a décrété Rose. Profitons que c'est mercredi.

– Et retrouvons cette boussole avant la police! dis-je, sentant le délicieux frisson de l'aventure au creux de mon cou. Ou le voleur.

– Ou les deux.

Juste à ce moment, la voix inquiète de Charles Moriarty a battu le rappel. Près de lui, son téléphone à la main, Mlle Mordent était toute pâle. Sa voix et son chignon tremblotaient.

– Vite, mes enfants! a-t-elle murmuré. Une catastrophe vient d'arriver. Il faut rentrer!

Le Club ouvre l'œil

Un malin petit singe s'est amusé à voler le sac de Nadget à la fête foraine...

!

Le propriétaire de la boussole n'habite pas très loin des Pierres-Noires

LE RÔDEUR INCONNU

Au bas du perron des Pierres-Noires, il y avait une voiture de la police. En haut des marches, deux inspecteurs.

M. Lenvers, le documentaliste, l'air effondré, notre directrice, préoccupée, et tous les adultes des Pierres-Noires se tenaient dans le hall. De sa voix sépulcrale, M. Belloc a annoncé :

– L'heure est grave. On a volé l'*Apterus aureus*.

L'*Apterus aureus* ? On le connaissait trop bien ! Tous. Un papillon préhistorique de la collection personnelle de M. Lenvers. Épinglé sous verre, exposé sur le mur aux insectes du CDI.

– Une pièce inestimable. Une espèce disparue.

– Doublement disparue ! a gémi M. Lenvers en triturant les pans de sa veste.

Inestimable. Volé. La seconde fois aujourd'hui que

ces deux adjectifs se tenaient compagnie. Décidément, le Club de la Pluie avait du pain sur la planche.

*
* *

On a prétexté des livres à rendre à la bibliothèque municipale pour obtenir un bulletin de sortie. Eudoxie a tenu à nous accompagner. Mais on l'a semée illico presto parmi les touristes. On a suivi Ambroise au pas de course dans les rues de Saint-Malo, jusqu'à la maison de M. Hamette.

Le vol avait eu lieu la veille, mais le vieil homme était encore agité et bouleversé comme s'il venait de le découvrir. À la vue d'Ambroise, son visage s'est un peu éclairé.

Il nous a offert du thé et du far breton. Après quelques paroles de réconfort, on s'est mis à l'interroger sur la disparition de la boussole. Avec tact et discrétion, bien sûr. Le Club de la Pluie sait aussi se montrer fin psychologue.

– Rien entendu, a soupiré M. Hamette. Aucune effraction. Fest-Noz n'a pas aboyé, a-t-il ajouté en tapotant le crâne de son loulou.

– Auparavant, vous n'aviez rien vu de bizarre ? Un truc inhabituel ?

– Ma foi, non.

Il a mâché longuement le pruneau de sa bouchée de far, front plissé. L'a avalée. Il a subitement levé l'index en l'air.

– Ma foi, si… J'ai apostrophé, lundi, un garçon qui rôdait devant ma porte.

– Un garçon? Un garçon comment? a soufflé Rose, vivement intéressée.

– Je n'ai même pas pensé à en parler à la police, figurez-vous. Je ne voudrais pas accuser sans preuves, vous comprenez. Sans compter que ce cambriolage a pu avoir lieu il y a plusieurs jours. Comment savoir?

– Pourquoi? Cela faisait donc si longtemps que vous n'aviez pas vu cette boussole? ai-je demandé.

– Je n'étais pas entré dans cette pièce depuis vendredi.

Il a désigné la vitrine où, sur un socle désormais vide, avait trôné son trésor.

– Elle avait appartenu à Robert Surcouf, le grand corsaire. Elle ne fonctionnait plus, bien sûr. Elle était trop ancienne. Mais… c'était un instrument magnifique. Un alliage de métaux précieux, un mécanisme rare…

Rose est revenue à la charge.

– Mais ce garçon, a-t-elle insisté, il était comment?

M. Hamette s'est frotté le front comme pour en faire jaillir ses souvenirs.

– Eh bien… jeune. Votre âge environ. Blond. Et, oh… Il portait une petite guenon sur l'épaule.

*
* *

Ce soir-là, dans la salle d'étude, j'ai frappé du poing sur la table avec une exclamation de rage.

– Saladin est vraiment un crétin!

– Chut! m'a ordonné Céline Dubas, la terminale qui nous surveillait.

Je venais d'ouvrir le boîtier du DVD. Il ne contenait pas *La Mélodie du bonheur* mais *La Nuit du Loup-garou glauque*, un de ces films qui ont rendu mon frère complètement idiot.

Furax, j'ai pris place devant un ordi au fond pour lui envoyer un mail sanglant. La porte s'est ouverte. Mlle Renard, la directrice, est apparue, la main sur l'épaule d'un garçon aux cheveux blonds dressés raides en l'air comme de l'herbe.

Rouletabille n'était pas avec lui, mais aucun doute: c'était le garçon de la fête foraine.

– Je vous présente Milo. Il suivra nos cours

62

jusqu'au départ des forains. Milo va d'école en école, comme tous les enfants du voyage. Souhaitons-lui la bienvenue.

Le Club enquête

RETOUR À L'ENVOYEUR

Je m'apprêtais à sortir, le lendemain matin, quand Rose a entrouvert les paupières. Angèle et Eudoxie étaient encore dans la salle de bains, à se laver les dents, ou à se briquer les oreilles au coton-tige. Des quatre filles de notre dortoir, Rose est toujours la dernière à émerger. Mais elle se rattrape avec sa célèbre douche de deux minutes trois quarts.

– Où vas-tu ? m'a-t-elle demandé. Le Club de la Pluie doit se réunir d'urgence.

– C'est bien mon avis. Je voulais te parler hier soir, mais tu dormais déjà !

– J'essayais de lire un prix Goncourt. Rendez-vous au CDI ?

– Sitôt que j'aurai retourné ceci à l'envoyeur ! dis-je en lui montrant le DVD où le loup-garou hérissait tous ses poils glauques.

– Waoh, a-t-elle dit. Tu vois ce qui risque d'arriver si tu t'obstines à te coucher sans te démaquiller ?

À la loge, Ambroise finissait de préparer son cartable. Sa mère donnait sa bouillie à Zoé qui mâchouillait et recrachait en faisant bbllup. Sa chaise de bébé avait pris l'allure glissante d'une piste de ski.

– Bonjour, madame Lupin, dis-je. Pourrez-vous poster ceci pour moi, s'il vous plaît ? J'ai mis les timbres.

– Pose-le dans la petite armoire aux clefs. Ou plutôt non… Voilà le facteur, donne-lui, ça ira plus vite.

Clipper, jappant et frétillant d'enthousiasme, a couru accueillir M. Bogart qui a ouvert la grille et lui a donné une des friandises qu'il a toujours dans une poche de son chariot. Il rencontrait pas mal de chiens de garde lors de ses tournées, et il avait dû apprendre à amadouer les plus grognons.

Je me suis penché vers Ambroise pour lui chuchoter en vitesse :

– Réunion urgente du Club de la Pluie. Au CDI. Dans l'allée des Alexandre Dumas.

– OK. C'est une excellente allée.

Je suis sortie remettre le loup-garou bien emballé au facteur. Il extirpait une autre croquette de son

Caddie. Clipper l'a happée aussitôt, bavant de bonheur sur le courrier qui était au-dessus. J'ai sorti mon
mouchoir pour essuyer.

— Pas grave, ça sèche, a dit gentiment M. Bogart.
Quant à ton paquet, il partira à midi. Toujours la
famille Trapp ?

— Une horde de loups-garous !

— Ça pèse plus lourd, s'est-il esclaffé. C'est suffi-
samment affranchi ?

*
* *

La réunion du Club dans l'allée Dumas du CDI
a été houleuse.

— Vous avez remarqué ? a commencé Ambroise.
Mme Astarté, la diseuse de bonne aventure, est fan
de papillons.

— Mais comment aurait-elle appris la présence de
l'*Apterus aureus*, ici, au CDI ? Et surtout, comment
aurait-elle pu le voler ?

— Et si c'était Milo le coupable ? a attaqué Rose.

— Tu dis ça parce que c'est un forain ! ai-je
riposté. Tout le monde se méfie d'eux.

Ses yeux ont lancé des éclairs.

— Pas du tout ! s'est-elle fâchée. Je dis ça parce que

M. Hamette a vu rôder un garçon qui lui ressemble et qui a un singe comme lui. Dans une célèbre nouvelle d'Edgar Poe, il y a une histoire de singe qui...

– Silence! a protesté la voix de M. Lenvers derrière les rayonnages.

– Et si on posait la question à Milo? a suggéré Ambroise. Demandons-lui carrément ce qu'il faisait lundi à la porte de M. Hamette.

*
* *

À la récré, je me suis approchée de Milo. Il se baladait tout seul, mains dans les poches, entre les arbres.

– Je ne t'ai pas remercié, l'autre jour, à la fête foraine. Sans toi, mon sac serait resté perché sur le toit de la baraque aux Hurlements. Tu me reconnais?

– Je te reconnais.

Et il m'a tourné le dos après un bref salut.

Pas causant, le nouveau.

*
* *

L'après-midi, c'est Ambroise qui s'est fendu d'une nouvelle tentative.

On les a observés de loin, discrètement, Rose et

moi. Leur conversation s'est prolongée. Ambroise semblait plutôt bien s'en tirer.

Il est revenu en hochant la tête.

— Alors? a demandé Rose, sur les charbons ardents. Il t'a répondu?

— Sans problème. Et sans la moindre hésitation.

— Eh bien alors? ai-je trépigné à voix basse. Il faisait quoi devant chez M. Hamette?

Ambroise a esquissé un sourire penaud.

— Chaque soir, Milo distribue les prospectus pour annoncer la fête foraine dans toutes les boîtes aux lettres de la ville. Voilà pourquoi M. Hamette l'a vu devant sa porte. Il ne « rôdait » pas.

J'ai lancé un regard à Rose.

— Tu vois!

DES PAS DANS LA NUIT

Je rêvais que je me trouvais dans la balancelle d'un manège de foire. Elle était en forme de papillon rose, et me secouait dans tous les sens. Je me suis redressée, yeux ouverts, dans mon lit.

Rose me fixait dans la pénombre. C'étaient ses mains qui me secouaient.

– Chut! fit-elle, un doigt sur les lèvres. En allant aux toilettes, j'ai entendu des pas dehors. Sous la fenêtre du couloir.

Angèle dormait, la tête sous sa couverture. Eudoxie aussi – sa narine bouchée sifflait. J'ai enfilé en silence mes chaussons Sweet Mimi, ma robe de chambre à pompons, et j'ai suivi Rose hors du dortoir.

Le couloir était désert, plongé dans l'obscurité. Il n'y avait d'allumée que la veilleuse de la sortie de secours tout au bout. J'ai pris la main de Rose dans la mienne.

On a dépassé en silence la chambre de la prof responsable de l'étage et on est allées se poster devant la fenêtre.

Dans le parc, une silhouette se faufilait entre les buissons. Une autre, plus grande, est sortie des ombres d'un arbre. Puis une troisième, toute petite, menue, qui a sauté sur l'épaule de la première. Toutes les trois se tenaient devant les grilles, près du portail fermé.

— Rouletabille! ai-je soufflé, stupéfaite.

— Avec Milo.

— Et... un complice!

J'ai voulu ouvrir la fenêtre pour mieux voir. Rose m'a retenue.

— Le battant grince. Ils nous entendraient.

— On descend les surprendre! Leur demander ce qu'ils fabriquent!

— En pantoufles et pyjama? Attendons plutôt demain.

*
* *

À la fin du cours de maths, dans le couloir, Rose a foncé droit sur Milo. J'ai une copine impulsive, mais elle ne manque pas de courage.

Elle a attaqué frontalement:

— On t'a vu cette nuit, dans le parc!

Il s'est arrêté, a regardé autour de lui avec inquiétude. Il nous a fait signe de le suivre dans la salle de maths maintenant désertée.

On a hésité une seconde, puis on lui a emboîté le pas.

— Vous n'en parlerez à personne, n'est-ce pas? a-t-il chuchoté.

— Dis-nous d'abord ce que tu faisais à la grille en pleine nuit! a répliqué Rose.

— Et qui était l'autre personne? ai-je continué à voix basse.

Milo a poussé un très long soupir. Il a plongé les mains dans ses poches, l'air de réfléchir. Son jeans était très usé, trop grand pour lui; il y avait plein de nœuds sur ses lacets de baskets.

Après un temps de silence, il s'est résolu à parler.

— Je ne déteste pas votre école, a-t-il commencé. Je l'aime plutôt bien, même, avec son côté vieux château fort. Même vous... Vous ne m'êtes pas antipathiques.

— Merci mille fois. Mais si tu répondais à nos questions? a lancé Rose.

Il a hésité encore.

– Vous ne le répéterez pas, mais… j'aimerais encore plus cet endroit si je pouvais avoir Rouletabille avec moi. Je l'ai depuis que je suis tout petit. Ambroise, lui, il a de la chance, il peut garder son chien. Moi, Rouletabille me manque. Et je lui manque. Alors tante Astarté me l'apporte, chaque soir, à la grille. Juste le temps de le caresser un peu.

Ému, il s'est tu. Avec Rose, on s'est regardées. On était toutes rouges, et pas tellement fières.

– C'est ton secret, ai-je murmuré. On n'en parlera à personne.

– Promis, a dit Rose d'une drôle de voix étranglée.

Il a hoché la tête. On a compris que c'était sa façon de dire merci. Il a tourné les talons. On l'a regardé disparaître au bout du couloir.

Heureusement, la matinée s'est achevée sur une bonne nouvelle. Un mail de Saladin m'a annoncé qu'il avait enfin retrouvé mon DVD de *La Mélodie du bonheur*!

Le Club piétine

OUF !
Milo et son petit singe n'ont rien à voir avec les vols.

Mais l'enquête en est toujours au même point.

LA MÉLODIE DU BONHEUR

La semaine s'est écoulée sans rien de neuf. Sauf que, voyant qu'on gardait soigneusement son secret, Milo est devenu moins sauvage avec les membres du Club de la Pluie.

Il s'est mis à nous parler. Il nous a même proposé de retourner ensemble à la fête foraine pour nous en dévoiler les petits secrets.

Quant à moi, je guettais chaque jour un courrier qui apporterait mon DVD. On avait un devoir de français à rendre bientôt, dont le sujet était : « Parlez de votre film favori. Pour quels motifs l'aimez-vous ? »

Connaissant mon hurluberlu de frère, je m'y étais prise à l'avance. Mais je voyais le moment où il faudrait que je planche toute la nuit pour rendre mon devoir le lendemain ! Grrr.

Le mercredi, on est retournés à la fête foraine,

cette fois en compagnie de Milo. Notre directrice, Mlle Renard, nous a remis nos bulletins de sortie. Je crois qu'elle était ravie de ne plus voir Milo déambuler tout seul aux récrés.

Grâce à lui, on a découvert l'envers du Train Fantôme. On a nourri et joué avec les otaries, on nous a offert une tournée gratis de barbe à papa, et Mme Astarté m'a prédit une longue vie pleine de bonheur, de comédies musicales et de robes du soir.

Au retour, sur la place de la Duchesse-Anne, un vendeur de journaux criait :

– Nouveau cambriolage ! Au musée des Corsaires ! Des louis d'or authentiques !

On a acheté et dévoré le journal.

Deux jours plus tard, ce fut un bracelet en diamants, dans la maison de vacances d'une touriste américaine.

– On est vraiment nuls ! a gémi Rose.

– On peut dissoudre le Club, ai-je soupiré misérablement.

Ça l'a fouettée. Elle s'est redressée, m'a foudroyée du regard.

– Sûrement pas ! On n'a pas dit notre dernier mot.

*
* *

M. Lupin est charmant et très compréhensif. Mais au bout de huit jours, à nous voir guetter, chaque matin avant la classe, le passage du facteur, il a commencé à trouver qu'on encombrait sa loge.

– Euh… C'est à cause du devoir de français, ai-je expliqué.

– C'est vrai, papa, a renchéri Ambroise, bon camarade. Il faut parler du film qu'on aime le plus au monde.

Zoé, pour me soutenir, a avalé sa cuillerée de bouillie sans broncher.

– Et pour Nadget, a ajouté Rose, ce film, c'est…

– *La Mélodie du bonheur*, on finira par le savoir ! a grommelé le gardien en levant les yeux au ciel.

– Serait-ce le paquet que tu attends, jeune demoiselle ? s'est exclamée une voix à la porte.

Le facteur, hilare, a ouvert son chariot et montré un paquet blanc, encore plus chiffonné que l'autre fois, sur la pile.

– Ton frère mâchouille les enveloppes avant de les envoyer ou quoi ? Tiens, prends. Je ne touche jamais aux chewing-gums usagés.

J'ai voulu prendre le paquet de chewing-gum…

Ma main a stoppé net.

Comme l'autre fois, mon œil a été happé par une

image. Mais ce n'était pas sur le journal cette fois. C'était…

C'était ce paquet rectangulaire brun. Avec le timbre jaune. À chaque fois que je regardais dans ce chariot, il se trouvait là. Sur le dessus.

Le même.

Pourquoi le facteur le gardait-il? Pourquoi ne le distribuait-il jamais à son destinataire?

Mon cerveau s'est mis à fonctionner à toute allure. Ma main restait en l'air.

Rose et Ambroise ont senti qu'il se passait un truc… Lentement, j'ai pris mon paquet chiffonné. Puis…

Hop! J'ai lancé le rectangulaire à Rose!

– Hé! a crié le facteur.

Sa figure a viré au rouge vif. Il a bondi sur Rose. Elle a aussitôt renvoyé le paquet à Ambroise.

Il l'a reçu sur l'épaule mais il n'a pas eu le temps de le rattraper. Le paquet brun est tombé par terre avec un bruit de métal.

Le papier s'est fendu. Un éclair d'or a roulé sur le sol, éblouissant le granit gris. Un magnifique collier s'étalait à nos pieds!

Le facteur a fait demi-tour et a foncé vers la porte. Rose a hurlé à l'aide. Moi, pareil.

Au bas du perron, il y avait quelqu'un. Non, deux « quelqu'un » ! Milo avec Rouletabille sur son épaule.

Le singe a poussé un cri formidable, a sauté sur le crâne du facteur et s'est mis à lui donner de grandes claques, à lui mordre l'oreille, à lui cacher les yeux avec les mains. Clipper a déboulé à son tour en aboyant et s'est mis de la partie.

Ils ne l'ont plus lâché.

*
* *

Qui aurait pensé au facteur ?

À force de le voir, on ne le voyait plus. Il repérait les lieux, l'endroit des clefs, les chiens le connaissaient.

– On aurait pu l'attraper plus tôt ! a marmonné Rose. Cela aurait dû nous mettre la puce à l'oreille quand il a dit que la boussole était cassée. Aucun journal n'avait mentionné ce détail.

Il l'avait emportée, tout comme ses autres butins, dans ce faux paquet timbré, et fabriqué de sorte qu'il s'ouvre et se ferme facilement.

– Comment as-tu deviné, Nadget ? a demandé Milo, à la récré.

– Grâce à Clipper, dis-je, modeste. J'ai reconnu

le paquet parce qu'il avait bavé dessus le jour des croquettes. La tache y était toujours.

Clipper a agité la queue, sans aboyer. Modeste, lui aussi.

— Et grâce à Clippper et à Rouletabille, a achevé Milo en riant, le facteur n'a pas pu s'enfuir jusqu'à l'arrivée des gendarmes.

Rose a levé les poings en l'air, façon champion du monde.

— Le Club de la Pluie compte un nouveau membre ! a-t-elle proclamé.

— Non. Deux ! a rectifié Ambroise.

Rouletabille s'est juché sur la tête de Clipper et lui a fait des bigoudis avec les oreilles.

— Réunion extraordinaire du Club ce soir. Minuit. Dans la vieille tour !

Ma main a heurté la bosse que faisait ma poche. Mon DVD ! J'allais l'oublier, celui-là.

J'ai défait le «chewing-gum». J'ai regardé. J'ai poussé un cri de rage.

— Mon frère est vraiment, vraiment un idiot !

Et j'ai jeté par terre le Cluedo de voyage qu'il m'avait envoyé.

Du même auteur à *l'école des loisirs*

Broadway Limited (tome 1) : *Un dîner avec Cary Grant*
Broadway Limited (tome 2) : *Un Shim Sham avec Fred Astaire*

Collection CHUT !

Minuit-Cinq
lu par Benoît Marchand et Sandrine Nicolas

Le Club de la Pluie au pensionnat des mystères
lu par Vincent De Bouard, Alice Butaud
et Clémentine Niewdanski

Le Club de la Pluie brave les tempêtes
lu par Vincent De Bouard, Alice Butaud
Benoît Marchand et Clémentine Niewdanski

LE CLUB
DE LA
PLUIE